Ce livre est publié par un éditeur indépendant.

Si vous désirez recevoir gratuitement notre catalogue
et être régulièrement informé de nos nouveautés,
n'hésitez pas à envoyer vos coordonnées à :

L'Arche *Éditeur*
86 rue Bonaparte
75006 Paris
newsletter@arche-editeur.com

Quand viendra la vague

Cette pièce a été écrite et créée dans le cadre
des Rencontres Internationales de l'ARIA, en Corse.

ISBN : 978-2-85181-964-2
Tous droits réservés
© 2019, L'Arche *Éditeur*
86, rue Bonaparte
75006 Paris
contact@arche-editeur.com

Recherche de la base et du sommet, René Char
© 1955, Éditions Gallimard
pour la citation en exergue de la pièce

Conception graphique de la couverture :
Susanne Gerhards

Alice Zeniter
Quand viendra la vague

L'Arche

« Je veux n'oublier jamais que l'on m'a contraint – pour combien de temps ? – à devenir un monstre de justice et d'intolérance, un simplificateur claquemuré, un personnage arctique qui se désintéresse du sort de quiconque ne se ligue pas avec lui pour abattre les chiens de l'enfer. »

René Char,
Recherche de la base et du sommet

LIEU

Un rocher au sommet.

PERSONNAGES

MATEO
LETIZIA
LA FEMME
L'HOMME
LE MOUFLON SUR DEUX JAMBES

Les tirets (-) en fin de réplique indiquent une interruption, quand les points de suspension signifient que le personnage s'arrête de lui même.

1

Noir.

MATEO
  Letizia ? Leti ?

LETIZIA
  Hmm…

MATEO
  Leti !

LETIZIA
  Mais laisse-moi…

MATEO
  Elle est là, Leti. Je l'entends.

LETIZIA
  C'est juste un cauchemar, Mateo.

MATEO
  Arrête de parler comme ma mère.

LETIZIA
  Rendors-toi.

MATEO
  Ça ne changera rien.

LETIZIA
  Bien sûr que si. Je pourrai dormir.

MATEO
Quand le soleil se lèvera, tu la verras toi aussi.

LETIZIA
J'aviserai à ce moment-là.

MATEO
Mais tu n'entends pas le clapotement ? Ça ne t'empêche pas de dormir ?

LETIZIA
C'est toi qui m'empêches de dormir. Tu es pénible.

(un temps)

LETIZIA
Je t'aime mais tu es pénible.

2

Un rocher au sommet.

MATEO

Je suis debout, comme la montagne.

Enfin, c'est-à-dire que quand la montagne est loin derrière moi, on peut trouver une certaine similitude.

On peut – par exemple – avoir l'impression que nous faisons la même taille. C'est une illusion d'optique.

Je suis debout parce que, debout, j'aurai pied plus longtemps.

On peut imaginer qu'il y aura une sorte d'évolution des espèces pour garder la tête hors de l'eau. Tous les animaux s'essaieront à marcher sur deux pattes. Le mouflon, l'âne et le sanglier, et même le hérisson, le porc et le renard.

Le lapin, qui sait déjà le faire, sera tout d'abord avantagé. Mais comme il est tout petit et très léger, il disparaîtra au profit d'animaux plus grands, capables de résister au courant.

Leur colonne vertébrale subira une torsion consé-quente pour trouver la verticalité et leur permettre de supporter le poids de leur tête, ce qui sera assez difficile pour certains – je pense surtout à l'âne qui a vraiment une très grosse tête, oblongue et pesante, et qui risque d'avoir des problèmes de dos plutôt sérieux quand il devra se tenir debout, ou même de disparaître tout à fait en raison de son inadaptabilité.

LETIZIA

Moi aussi, j'ai mal au dos.

MATEO

Ce n'est rien en comparaison de l'âne, Leti. Rien du tout.

LETIZIA

Je m'en fous de l'âne. Je veux redescendre. Ça me flingue le dos d'être assise depuis des heures sur ce bout de rocher.

MATEO

Quand il ne restera que ce rocher, tu comprendras à quel point il est précieux. Il est parfait.

LETIZIA

Quand il ne restera que ce rocher, je serai morte depuis longtemps. Et toi aussi, Mateo.

MATEO

Tu me fais de la peine.

LETIZIA

Est-ce qu'on peut redescendre ?

MATEO

Pas tout de suite.

LETIZIA

Tu ne penses vraiment qu'à toi.

MATEO

C'est tout le contraire. Je suis le seul à penser au monde, dans son entier.
Je suis le seul à *faire l'effort* de penser le monde et le réchauffement climatique.

LETIZIA

J'ai froid j'ai faim j'ai mal au dos je ne veux pas
faire l'effort de penser.

MATEO

Tu n'as pas le choix.

LETIZIA

Il y a plein de gens en ce moment qui ne *sont pas*
en train de penser au réchauffement climatique, je
t'assure.

MATEO

Si on ne vivait pas sur une île, on pourrait peut-être
– je dis bien *peut-être* – prétendre que ça ne nous
concerne pas.

Au centre des gros continents puissamment ter-
reux, il y a des gens qui ne pensent jamais à la
mer et, d'une certaine manière, ils ont raison. Elle
parcourra des centaines, peut-être des milliers de
kilomètres avant de venir leur lécher les pieds. Ils
peuvent laisser les autres s'inquiéter parce que la
vague les atteindra en dernier et le temps qu'elle
leur parvienne, le problème de la vague et de
comment vivre avec la vague aura déjà été pesé,
réfléchi, divisé en possibles solutions – dont celle
qui consiste à accepter qu'il n'y a pas de solution.
Mais nous, Leti, nous les îliens, nous sommes en
première ligne. Toi et moi, nous sommes déjà au
front, parce que la mer est toute proche, et l'âne
est au front lui aussi, et le sanglier, et le mouflon.

LETIZIA

Et le renard, et les vaches, blablabla.

MATEO

Surtout les vaches. Tu as raison : j'avais oublié les vaches.

LETIZIA

Scandale.

MATEO

C'est évident que quand l'eau va monter, il va falloir partager un espace de plus en plus restreint avec les vaches. On pourrait croire que ce sera plus facile – justement – avec les vaches parce que nous sommes habitués l'un à l'autre, les humains et les vaches, mais je suis persuadé que ce sera le contraire. Les vaches ont perdu à notre égard la politesse élémentaire qu'on montre aux inconnus. Les vaches se comportent – tu as remarqué sur la route quand on est arrivés ? – comme des adolescentes rebelles et boudeuses et nous, en face, comme des parents déboussolés : enfin, voyons, faites un effort, soyez *gentilles*. Elles traversent lentement, tellement lentement, elles le font exprès. Elles se couchent même devant les voitures en tournant lentement vers nous leurs yeux blasés d'adolescentes qui demandent : Et alors ? Qu'est-ce que tu vas faire ? Et en réalité, on ne peut rien faire parce que ce sont des adolescentes impolies qui pèsent plus d'une demi-tonne – et là, je ne parle même pas des taureaux – des adolescentes dotées d'une sacrée paire de cornes et quand on sera coincés, presque les uns sur les autres en haut de la montagne, je ne crois pas que les vaches nous rendront la vie facile, non, ça m'étonnerait.

LETIZIA

Je n'ai pas du tout envie de partager le sommet de la montagne avec les vaches.

MATEO

Pourquoi ?

LETIZIA

Elles meuglent trop fort. Je ne veux pas qu'elles viennent faire ça tout près de mon oreille.

MATEO

On pourrait essayer de les garder à l'écart. Si on entoure le petit bois de barrières, par exemple, mais il faudrait qu'on se mette au travail.

LETIZIA

Ou on pourrait les laisser se noyer quand viendra la vague.

MATEO

On n'est pas du tout sûrs que ce sera une vague. Moi j'aime bien dire que ça en sera une parce que je trouve ça beau mais ce sera peut-être une lente montée clapotante. Et si c'est le cas, ça laissera le temps aux vaches de grimper progressivement jusqu'à nous. C'est pour ça qu'il faut qu'on reconstruise la bergerie et qu'on remonte les murets effondrés, parce que *tout le monde* risque d'avoir le temps de venir jusqu'à nous et on ne pourra pas partager avec tout le monde.

LETIZIA
Donc ?

MATEO

Donc il faudra qu'on puisse défendre notre maison et notre bout de sommet le temps de choisir.

LETIZIA

J'aime pas quand tu parles comme ça.

MATEO

Pourquoi ?

LETIZIA

Une catastrophe se produit et nous, on choisit qui survit ? Tu trouves ça normal ?

MATEO

Je trouve ça réaliste. C'est un jeu réaliste.

LETIZIA

Moi je laisserais tout le monde venir.

MATEO

C'est n'importe quoi : tu as déjà dit que tu voudrais abandonner les vaches.

LETIZIA

Les humains, je laisserais tous les humains venir.

MATEO rit.

LETIZIA

Tu ne me crois pas ?

MATEO

Regarde.

3

Arrive LA FEMME. On peut imaginer que c'est MATEO qui s'est grimé ou bien que LA FEMME apparaît réellement. Elle dégouline.

LA FEMME
J'ai dérivé toute la journée accrochée à une planche avant de trouver la terre ferme. Je suis épuisée. J'ai mal partout.

LETIZIA
Venez vous asseoir avec nous.

LA FEMME
Merci, merci beaucoup. Je vis sur la côte – vivais plutôt. J'ai tout perdu. Ma maison a été l'une des premières à s'effondrer quand la vague est venue.

LETIZIA
C'est terrible ! *(Elle rit.)* Bon, je le dirai mieux quand la vague viendra vraiment. C'est terrible. C'est terrible. *(Elle réessaie jusqu'à trouver le ton juste, ou un ton qui lui convient.)*

LA FEMME
Oui. On a déménagé dans une autre maison, puis une autre et encore une autre. L'eau montait toujours. J'ai été séparée de mon mari, de mes enfants. J'ai changé de maison, toute seule, en espérant les retrouver. J'ai vu des hommes sans femme et des enfants sans mère mais ce n'était pas les miens. D'autres les avaient

perdus, ou simplement oubliés, comme les vêtements dans un vestiaire de gymnase à la fin de la journée. Une nuit, au printemps, j'ai été réveillée par un poisson. Le sol de la chambre disparaissait sous quelques centimètres d'eau sombre et le poisson en frappait la surface de sa longue queue blanche et effilée. J'ai remué mes doigts pour le chasser d'une vaguelette mais il a décrit un cercle minuscule et il est revenu tout près de mon lit. Il a recommencé. Plaf plaf plaf plaf. Et j'ai compris – à ce moment-là, j'ai compris – qu'il m'avait réveillée exprès. Les poissons ne respectent plus rien.

LETIZIA

Ne m'en parlez pas.

LA FEMME

Il en avait après moi.

LETIZIA

C'est évident.

LA FEMME

Il est possible d'ailleurs que les poissons soient derrière toute cette histoire.

LETIZIA

Pardon, quelle histoire ?

LA FEMME

Eh bien, la montée des eaux. Ce sont de petites créatures expansionnistes et abjectes. Dans leurs aquariums, et dans leurs rivières, et dans les océans, à toujours tourner en silence. Qu'est-ce que vous croyez qu'ils faisaient, hein ? Ils complotaient, voilà ce qu'ils faisaient. Pour nous reprendre la planète. Jamais pardonné l'apparition des vertébrés terrestres, en réalité. Rancuniers comme pas deux, mauvais mauvais mauvais MAUVAIS MAUVAIS ! Je peux vivre avec vous ?

LETIZIA
Je… heu… je…

LA FEMME
Vous ne savez pas de quoi ils sont capables. Ils sont partout, les poissons. Ils auront ma peau ! Je vous en supplie : ne me renvoyez pas en bas !

LETIZIA
Lâchez-moi, madame, lâchez –

LA FEMME
LAISSE-MOI RESTER PETITE TRUIE OU JE TE MANGE LE CŒUR !

Letizia hurle. La femme disparaît.

MATEO
Elle te fait peur, pas vrai ?

LETIZIA
C'est juste qu'elle m'a surprise.

MATEO
Menteuse.

LETIZIA
Non, je t'assure.

MATEO
Tu la laisserais vivre avec nous, cette vieille folle des poissons ?

LETIZIA
Tu l'as fait exprès pour me faire peur. Mais elle n'existe pas, tu as complètement inventé cette pauvre femme. Les gens réels ne sont pas comme ça.

MATEO
Moi je l'ai trouvée criante de vérité.

LETIZIA
N'importe quoi.

MATEO
CRI-AN-TE !

LETIZIA
Si ça t'amuse.

MATEO
Demain, si tu veux, on jouera avec des gens réels.

LETIZIA
On redescend alors ?

MATEO
On redescend.

4

Le rocher, transformé en bureau des admissions.

MATEO

Je me permets de soumettre à votre attention les récentes candidatures que nous avons reçues. Nous classerons dans une première pile, sise à gauche, les postulants dont les dossiers ont été acceptés et dans une seconde pile, sise à droite, les postulants dont les dossiers ont été refusés.

LETIZIA

Et c'est à moi de décider ?

MATEO

Entièrement à toi. Tout ce que tu as à faire, c'est te montrer la plus honnête possible.

LETIZIA

Je suis prête. Vous pouvez procéder.

MATEO

J'ai ici une première lettre de motivation demandant l'accès au sommet, écrite par Cecilia, de la classe de 5e.

LETIZIA

Pourquoi pas ?

MATEO

Parce que tu détestais cette fille.

LETIZIA

Je ne la détestais pas.

MATEO

Tu m'as raconté qu'elle t'avait humiliée publiquement
en criant à toute la cantine que tu avais tes règles.

LETIZIA

On avait douze ans.

MATEO

Elle a ouvert ton cartable pour en sortir un paquet
de serviettes hygiéniques, ton tout premier paquet
de serviettes hygiéniques, avec des rabats collants
comme des ailes d'avion, et elle les a lancées – c'est
ce que tu m'as raconté, Leti – elle les a lancées dans
toutes les directions à travers le réfectoire pendant
que tu essayais de ne pas te mettre à pleurer, toute
droite sur ta petite chaise en plastique.
(un temps)
Elle criait des choses dégoûtantes. Tu m'as dit ça
– des choses qui te font encore rougir quand tu
essaies d'en reparler. Elle criait –

LETIZIA

Arrête.

(un temps)

MATEO

Imagine ce qu'elle pourrait créer comme dégâts
dans notre communauté. Cette fille ne sait claire-
ment pas faire attention aux autres.

LETIZIA
Je suis sûre qu'elle a changé.

MATEO
Donc, pile de gauche ?

LETIZIA
Pile de gauche, oui.

MATEO
Dossier suivant, joli dossier, toutes les pièces nécessaires bien classées – j'irai même jusqu'à dire repassées. Avons-nous affaire à un maniaque ? Ah tiens ! La propriétaire qui n'a pas voulu te louer d'appartement à ton arrivée à l'université.

LETIZIA
Qui ?

MATEO
Celle qui a dit : Je ne loue pas aux gens de l'île. Ce sont des sauvages et des voyous.

LETIZIA
Je ne m'en souviens même plus.

MATEO
Tu vas vraiment passer toute la partie à jouer comme ça ?

LETIZIA
Comme quoi ?

MATEO
Comme si tu étais Jésus.

LETIZIA
On peut trouver pire comme modèle.

MATEO
Tu veux finir crucifiée ?

LETIZIA
Ha. Je peux finir déifiée.

MATEO
Je ne m'attarderai pas sur ta mauvaise foi. Dossier
suivant : Julia.

LETIZIA
…

MATEO
Julia avec qui –

LETIZIA
J'avais compris, merci.

MATEO
Et ta réponse est ?

LETIZIA
Tu es abject, Mateo.

(un temps)

MATEO

Gauche ou droite ?

LETIZIA

… Gauche.

MATEO

Sérieusement ?

LETIZIA

Elle n'a rien fait de mal. Elle n'a… Je ne vais pas la laisser se noyer juste parce qu'elle… Parce que tu…

MATEO

Tu supporterais de la voir chaque jour, là, tout près ?
Comme elle sourit.
Comme elle incline la tête.
Me regarde.

LETIZIA

POURQUOI TU PARLES D'ELLE ? COMMENT TU OSES PARLER D'ELLE ? Est-ce que tu trouves ça drôle ?

MATEO

Non…

LETIZIA

Qu'est-ce qu'elle me devait, elle ? Rien du tout ! Elle ne m'avait jamais rien promis, elle ne savait même pas que j'existais. C'est toi qui m'a piétinée, c'est toi ! « On s'est rencontrés trop jeunes », « je veux vivre autre chose », c'est Julia, peut-être, qui m'a dit ce genre de choses ?

MATEO
Non, c'est moi…

LETIZIA *(sans l'entendre)*
Et c'est Julia qui est partie de l'appartement avec quelques affaires dans un sac de sport, comme pour une fugue ou une colonie de vacances ? C'est Julia qui m'a abandonnée dans une ville où je ne connaissais personne en me disant – comme dans un mauvais film, comme dans un sacré mauvais film – « ça ne suffit pas de s'aimer » ? Je dois vraiment être une pauvre conne, Mateo, parce que j'ai toujours cru que c'était toi !

MATEO
C'était moi… Bien sûr que c'était moi.

LETIZIA
Alors tu mets ce dossier sur la pile de gauche et tu arrêtes de jouer comme un tordu ! Sinon je te jure que tu vas le payer très cher.

MATEO
Tu feras quoi ?

LETIZIA
Je te laisserai tout seul quand viendra la vague.
Je prendrai un bateau et j'irai trouver un autre sommet quelque part. Un sommet sur lequel il n'y aura personne que je connaisse, personne à qui je puisse pardonner, ne plus pardonner, pardonner, ne plus pardonner jusqu'à ce que ça me rende dingue. Un sommet où on se contentera de se serrer la main et on s'appellera Monsieur ou Madame, de manière très formelle, très distante, voilà, une distance à

laquelle personne ne peut se blesser. Tu resteras ici tout seul, avec ta bergerie, tes arbres, tes murets pourris et ta conception de l'amour qui n'amuse que toi !

MATEO
... Excuse-moi.

LETIZIA
Pile de gauche. Dossier suivant. On avance. Qu'est-ce qu'on a, là ?
Ma mère ? Acceptée. Tais-toi, ne dis rien.
L'homme aux mains baladeuses ? Accepté. Mais attends : à placer sous surveillance. On va faire une pile particulière au milieu. Pousse-toi un peu.
Sabine-la-hurleuse ? Acceptée.
Michel-mon-premier-patron-sadique ? Accepté. Je crois que, de toute façon, sans Internet et sans café, il se laissera mourir. On pourra même le manger – parfait.
Pierre ? Accepté.
Le voleur de portefeuille du 2 juillet 2003 ? Accepté. Accepté. Accepté. Accepté. Accepté. Accepté.
Voilà ! C'est du bon travail. On a fini, merci bonsoir.

(un temps)

MATEO
Tu as laissé tomber une lettre de motivation.

LETIZIA
...

MATEO

« Au vu de mes capacités d'organisation, de lea-
dership, de prise de décision même dans des circonstances difficiles – ce que mon CV détaille et
prouve –, au vu de mon expérience des hommes et
des territoires les plus divers, il me semble que je
suis tout à fait qualifié pour l'attribution d'une place
au sommet. »

LETIZIA

C'est signé ?

MATEO

Vladimir Poutine.

LETIZIA

Vladimir Poutine ?

(un temps)

MATEO

Là, tu vois.

LETIZIA

Oui, c'est… c'est compliqué. Je voudrais pouvoir…
Mais il me fait vraiment peur. Tu sais bien qu'il me
fait peur. Cette chose qu'il a au fond des yeux, cet
éclat glacé, on dirait un mal ancien qui serait tapi là
à attendre…
Chaque fois que j'entends quelqu'un dire « la nuit
des temps », j'ai l'impression qu'on parle du regard
de Vladimir Poutine et ça me terrorise.

Merde.
Qu'est-ce que je peux faire de lui ?

MATEO
Pile de droite.

LETIZIA
Je ne vais quand même pas arrêter d'être humaniste
à cause de Vladimir Poutine…

MATEO
Leti ? Pile de droite ?

LETIZIA
Voilà quelqu'un.

MATEO
Pourquoi ?

LETIZIA
Parce que c'est mon tour de diriger le jeu.

5

Arrive L'Homme (même chose qu'en 3 : ce peut être Letizia grimée ou un homme réel).

L'Homme

J'ai nagé des jours et des nuits avant de trouver votre île. Heureusement que je maîtrise le dos crawlé, putain. Plus rien n'était sec. Les habits mouillés, tous les jours, toutes les nuits. Je ne comprends pas comment j'ai pu éviter la pneumonie. Santé de cheval, disait le docteur, c'est un miracle avec tout ce que vous vous envoyez. Un putain de miracle, ouais.

Je trimballe mon paquet de clopes dans la poche de ma chemisette depuis deux semaines. Je me disais que j'allais bien finir par trouver un endroit où me poser et les faire sécher. Rien du tout. Je dos-crawlais, je dos-crawlais, une vraie machine de guerre… mais partout il n'y avait que la flotte.

Vous avez du feu, vous ?

Mateo

Je vous connais ?

L'Homme

Je ne crois pas.

Mateo

Je suis sûr que si. Vous êtes promoteur immobilier, non ?

L'HOMME

Vous êtes gentil de dire ça au présent. Je crois que c'est une profession définitivement sinistrée.

MATEO

Quand mon père est mort, vous êtes venu me voir.

L'HOMME

C'est possible, je ne me souviens pas.

MATEO

Moi je m'en souviens très bien. Ça faisait à peine deux jours qu'il était mort quand vous êtes arrivé pour racheter le terrain.

L'HOMME

Il était comment ? Aidez-moi un peu. Peut-être que je vais me rappeler.

MATEO

Un type rond et souriant, plutôt petit mais avec des grosses joues –

L'HOMME

Je voulais parler – pardon, je réalise que ce n'est pas très délicat – du terrain. Quel genre de terrain ?

MATEO

Celui-là.

L'HOMME

Cette petite île ?

MATEO

Eh bien, à l'époque ce n'était pas une île.

L'HOMME

Pas une île, non.

MATEO

Un sommet de montagne. Six hectares au sommet
de la montagne, avec un petit bois et une bergerie
en ruines.

L'HOMME

Cette bergerie ?

MATEO

Oui.

L'HOMME

Elle n'est pas du tout en ruines.

MATEO

On l'a retapée, Letizia et moi, avant la vague.

L'HOMME

Bien joué.

MATEO

Merci.

L'HOMME

Et moi, j'ai voulu acheter six hectares de terrain
avec un petit bois et une bergerie en ruines ?

MATEO
Oui.

L'HOMME
Ça ne me ressemble pas. Il n'y avait que ça partout avant la vague. Ça n'avait aucune valeur.

MATEO
Vous vouliez en faire une maison de retraite. Apparemment, vous aviez des investisseurs. Ils aimaient la vue.

L'HOMME
Ah oui, ça, ça me ressemble plus. Ça devait être moi.

MATEO
Je vous ai trouvé méprisable.

L'HOMME
C'était sûrement moi, alors.

MATEO
Je ne vendrai jamais la bergerie de mon père.

L'HOMME
Réfléchissez, jeune homme, après tout, l'offre est très avantageuse. Cette île est un caillou pelé plein de déserts verticaux. La plupart sont invendables. Est-ce que vous réalisez la chance que vous avez que mes investisseurs aiment cette vue particulière ? Cet emplacement-là, précisément ?

MATEO

Je réalise surtout la malchance de vos investisseurs parce que cette vue et cet emplacement, ils sont à moi et je les garde.

L'HOMME

Je comprends votre émotion, évidemment. Nous avons tous – et quand je dis nous, je veux dire les êtres humains en général mais plus spécialement *vous*, en réalité, les îliens, les gens d'ici – nous avons tous un attachement particulier à la terre, c'est un lien affectif quasi indescriptible. À première vue, il semble ne rien avoir en commun avec l'argent.

MATEO

Rien du tout.

L'HOMME

Sauf qu'au bout du compte, on réalise que l'argent s'immisce toujours un peu partout – je ne m'en félicite pas, sachez-le, je me contente de le constater – et notamment dans une affaire d'héritage comme celle-ci, alors qu'on croit ne faire que recevoir la preuve de l'amour du père et qu'on s'efforce de supporter et le poids du chagrin et les responsabilités nouvelles qui nous obligent à traverser maintenant la vie en adulte et non plus en fils, on s'aperçoit rapidement que l'argent est là, malgré tout, à tendre sa jambe pour nous faire des croche-pieds.

MATEO

Où vous voulez en venir ?

L'Homme
   Je me suis laissé dire que vous étiez chômeur et sans économies…

Mateo
   Et alors ?

L'Homme
   Vous comptez les payer avec quoi, les droits de succession ?

(un temps)

L'Homme
   Ah oui, maintenant je me souviens de la scène. Je n'ai pas été très classe.

Mateo
   J'aurais dû vous casser la gueule.

L'Homme
   C'est du passé, mon grand. La montée des eaux a tout effacé.

Mateo
   Pas pour moi, non.

L'Homme
   Autre temps, autres mœurs.

Mateo
   Parlez pour vous.

L'HOMME
À défaut du pardon, laisse venir l'oubli.

MATEO
Certainement pas.

L'HOMME
L'erreur est humaine mais le pardon divin.

MATEO
Cause toujours.

L'HOMME
Qui ne sait pardonner ne sait aimer.

MATEO
Vous allez continuer longtemps ?

L'HOMME
Je suis à court de proverbes.
Bon… Je suppose que ça veut dire que je ne peux pas rester.

MATEO
Vous allez repartir aussi vite que votre dos crawlé de compétition vous le permet, et vous n'allez jamais revenir.

L'HOMME
Et s'il n'y a pas d'autres îles ?

MATEO
Ce n'est pas mon problème.

LETIZIA
Bien sûr que si.

MATEO
Non.

LETIZIA
Tu envoies le promoteur immobilier à la mort et ça ne te cause pas le moindre pincement moral ? Une infime, minuscule, microscopique seconde d'hésitation ?

MATEO
Tu voulais noyer toutes les vaches.

LETIZIA
Arrête avec les vaches, ça n'a rien de comparable ! Une vache, c'est une vache !

MATEO
Quarante mille têtes au moins, sur cette île. Ça doit bien équivaloir à un être humain à un moment donné, non ?

LETIZIA
Jamais de la vie.

MATEO
Oh allez, Leti, quarante mille ! Pourquoi quarante mille vaches qui font meuuuuuuuuh seraient-elles inférieures à *un* homme en train de se plaindre ?

(un temps)

LETIZIA

Tu n'étais même pas proche de ton père.

MATEO

Si.

LETIZIA

Quand on était encore là-bas, tu as refusé de rentrer passer Noël avec lui. Tu m'as dit que tu ne supportais pas de l'entendre parler des étrangers et de la pureté de l'île. Tu as même dit qu'il était devenu –

MATEO

Un vieux con.
C'est ce que j'ai dit.
Mais je ne veux pas que tu le dises, toi.
Tu n'as pas le droit de le dire, toi.

LETIZIA

Et puis il est mort et tu t'es transformé en fils héroïque : MON père, MON héritage, MES racines, MA famille, MA terre…
Qu'est-ce qui te prend ?

MATEO

J'ai pensé –

LETIZIA

On s'était promis qu'on ne deviendrait pas comme eux, Mateo. Quand on est partis de l'île, et encore plus quand on y est revenus, on s'est fait cette promesse-là. Tu disais que c'est absurde de tirer sa fierté du fait d'être nés ici alors qu'on n'y peut rien. Tu as pensé quoi ?

MATEO

J'ai pensé que – peut-être – toi et moi…, un jour, on aurait des enfants. Ça dépend de quand viendra la vague et ça dépend aussi, pardon, bien sûr, ça dépend *surtout* de toi, mon amour, mais, sans vouloir te mettre la pression, ça n'est pas tout à fait exclu.

LETIZIA

Pas tout à fait, non.

MATEO

Alors… ces futurs enfants hypothétiques, il faudra que je leur lègue quelque chose, quelque chose qui a de la valeur, quelque chose qui a été pensé pour eux, pas simplement ce qui reste de moi après ma mort, par hasard ou par une *longue* succession de hasards, c'est-à-dire presque par erreur – votre père a oublié ça ici, vous en voulez ? – quelque chose qui soit mieux que cette putain de bergerie qu'on se repasse tous dans ma famille.

LETIZIA

… Ok.

MATEO

Mais c'est le promoteur qui a raison : on est pauvres comme les pierres, fauchés comme les blés. Ce n'est même pas uniquement une question d'argent : on n'est pas doués de nos mains, je chante faux, ton sens du rythme est – bien sûr que si – catastrophique. Plus j'y pensais, moins je trouvais ce qu'on pourrait leur laisser, aux futurs enfants hypothétiques. Il y a bien le bagage génétique, mais on ne

peut pas vraiment prétendre que c'est un don géné-
reux parce que c'est la loi de la biologie, on n'y peut
rien, c'est plein de brassages, de recombinaisons, de
de de de crossing-over et d'allèles récessifs –

LETIZIA
Mateo…

MATEO
Oui, pardon, je m'égare. Bref, je me dis : Mateo, tu
n'as rien sauf la bergerie, il faut que tu l'acceptes.
Et la bergerie, toute seule, c'est de la merde. Heureusement…

LETIZIA
Heureusement, il y a la vague.

MATEO
Tout à fait – heureusement, il y a la vague.

(un temps)

MATEO
C'est tout ce qu'on a, Leti : le rocher, et la conscience
que la vague arrive.

6

*Bribes. Letizia et Mateo sont dans l'eau jusqu'aux
genoux et équipés de parapluies. Bruit de sirène qui va
en s'enflant.*

« C'est visible à l'œil nu, les immeubles tanguent. »
/ « Le terme de toutes les créatures est arrivé à mes
yeux. » / « C'était tellement long. » / « Cet habitant
des quartiers nord-est a tout filmé. Il exprime son
désarroi mais ne finira pas sa phrase. » / « Ce qui
s'abat sur les côtes dépasse l'imagination. » / « un
mur liquide » / « une masse boueuse » / « la vague
vient de s'engouffrer dans le port » / « le pays vacille »
/ « Cette femme tente de trouver la sortie. » / « sa
course folle » / « Des dizaines de milliers d'habitants
sont pris au piège. » / « rien ne lui résiste, voitures,
camions, bateaux, voguant comme de simples jouets
en plastique » / « sa course folle » / « la fuite à pied »
/ « villes englouties » / « trains engloutis » / « les cataractes du ciel » / « Des lames qui n'en finissent pas
de se former. » / « Le bilan reste très provisoire. » /
« C'est la vague de tous les dangers. » / « Une moitié
de la population a littéralement disparu. » / « Avoir eu
le temps de gagner les hauteurs, être dans le bon bâti-
ment, survivre. » / « depuis l'homme jusqu'à la brute,
jusqu'au reptile, jusqu'à l'oiseau du ciel » / « Tourné à
la panique. » / « Fauché par la vague. » / « C'est une
question de chance. » / « De simples remous désormais. » / « J'ai cru que j'allais mourir. » / « L'évacua-
tion a été ordonnée dans les régions côtières. » / « Le
comportement héroïque de l'homme au bas de votre

écran. » / « Une moitié de la population a littéralement disparu. » / « Une moitié de la population a littéralement *disparu*. »

7

En bas.

MATEO
On remonte ?

LETIZIA
Je n'ai pas envie.

MATEO
Pourquoi ?

LETIZIA
Tu as laissé mourir le promoteur, l'institutrice, le maire, l'épicier, la boulangère, le curé, trois de nos amis d'enfance et un oiseau dont la tête ne te revenait pas. Tu es un malade, Mateo, ça ne m'amuse plus.

MATEO
Mais si ! Allez, viens, on remonte : je te promets qu'aujourd'hui, je distribuerai des bouées.

LETIZIA
Je me demande même comment tu comptes survivre après la vague si tu renvoies à la mer tous ceux qui ont des compétences susceptibles d'être utiles.

(un temps)

MATEO

Donc quand tu dis que tu veux sauver les gens, en fait, tu veux simplement les utiliser ? Tu les vois comme des réservoirs…

LETIZIA

N'inverse pas la situation. C'est moi qui suis humaine depuis le début du jeu. Et c'est toi le monstre.

MATEO

Je fais preuve d'une grande cohérence morale. Toi, maintenant, tu commences à dire : D'accord, d'accord, c'est un salaud *mais* il fait bien la cuisine, *peut-être* qu'on pourrait fermer les yeux.

LETIZIA

Une grande cohérence morale.

MATEO

Oui.

LETIZIA

Ça faisait longtemps.

MATEO

Je t'ai déjà parlé de ma cohérence morale ?

LETIZIA *(elle ne peut pas s'empêcher de sourire)*

La dernière fois que tu t'es fait virer.

MATEO

Le Proxi.

LETIZIA

Non, la pizzeria.

MATEO

Ah oui, c'est vrai. Quel salaud, celui-là, quel beau salaud ! Laisse-moi te dire que s'il demande un accès au sommet, je lui délivrerai un pass express pour le fond de la mer.

LETIZIA

Et voilà… tu es reparti. Pas toi, pas toi, pas toi ! Salaud, salaud, salaud ! C'est usant, à force.
Tu n'as qu'à remonter tout seul.

MATEO *(dans un premier temps suppliant)*

Leti, s'il te plaît… Pour l'oiseau, je suis désolé : c'était une provocation idiote, je t'assure, juste une – Mais écoute-moi ! Leti… Si tu veux, on peut même sauver les copains d'école. On se dira qu'ils sont bêtes mais qu'on les aime bien, il n'y a rien à faire, ce n'est pas rationnel, on les aime juste parce qu'ils étaient là au bon moment, quand nos cœurs étaient encore tendres, ou vides, on les aime presque malgré eux…
Mais ce vieil escroc de la pizzeria, pourquoi je le sauverais ? Il a eu près de soixante ans pour faire ses preuves en tant qu'être humain et il a systématiquement échoué !

LETIZIA

Il n'est jamais sorti du village. Tu voudrais qu'il se comporte comment ?

MATEO

D'accord, d'accord, il n'avait pas toutes les cartes en main – je veux bien le reconnaître : monde étriqué, zéro études, peut-être une famille de dégénérés, je n'en sais rien mais j'accepte – pour te faire plaisir – de lui prêter un maximum de circonstances atténuantes.

Par contre, le promoteur, Leti, le PROMOTEUR ! Lui, il a tout eu et ça se voit ! Il a cette manière de bouger, cette manière de parler, de sourire, de porter sa veste de costume, toujours à l'aise, toujours à sa place, pouvant même se permettre un peu de vulgarité, parce qu'il s'en fout, ça ne lui fera aucun mal, lui il peut dire « merde » ou « putain » ou « baiser » sans que jamais les gens doutent qu'il a reçu une bonne éducation.

LETIZIA

Je ne vois pas pourquoi on devrait le laisser se noyer pour autant.

MATEO

Tu veux rire !

LETIZIA

Je n'ai pas tellement eu l'occasion de montrer de la grandeur d'âme, jusqu'ici. J'ai toujours voulu, pourtant. Tu sais, je rêverais qu'on dise de moi que j'ai le cœur sur la main : Leti ? Elle est toujours prête à aider. Ou : c'est quelqu'un de *profondément* bon. Ce n'est pas grand-chose, à première vue. Mais c'est beaucoup plus difficile qu'on ne croit.

MATEO

Trop bon, trop con, Leti. C'est ça qu'on dit des gens qui aident toujours les autres.

LETIZIA

Peut-être pas dans le monde d'après la vague… Si on commence en donnant l'exemple, peut-être qu'on peut créer une communauté basée sur l'entraide et –

MATEO

C'est le meilleur moyen de se faire avoir ! Tu crois que le promoteur va soudain ouvrir les yeux et s'amender ? Tu crois que, touché par ta bonté, il va devenir – quoi ? – une sorte de double de l'abbé Pierre ? Il va surtout se dire que *ça passe*, une fois encore, et qu'il n'a aucune raison de s'en faire !

LETIZIA

Comment tu peux être aussi sûr que c'est impossible ? Les gens *changent*, Mateo.

MATEO

Mais qui change, putain ? Diams ? Renaud ? Les héros des séries télé ?
C'est à cause des types comme lui qu'on en est là, à attendre la vague en tremblotant. Les types qui prélevaient du sable *ici* pour construire *là*, ceux qui brûlaient les arbres pour construire encore plus gros, ceux qui éventraient la terre sur des milliers de kilomètres carrés pour en extraire une pépite de je-ne-sais-pas-quoi et qui laissaient les autres ensuite vivre dans leurs tranchées, les types

49

qui ont écrasé de leurs autoroutes les espèces rares de scarabées, de crapauds ou de mésanges – et même des tribus indiennes entières, pour autant que je sache, des familles de tout petits êtres avec de toutes petites plumes et des colliers multicolores.

Et maintenant que l'eau monte par leur faute, il faudrait encore les sauver ? Il faudrait que toi et moi, on fasse preuve d'une belle morale universelle et qu'on laisse un salaud comme ça venir vivre avec nous ? Mais c'est parce qu'ils comptaient sur ça, tous, qu'ils se sont laissé aller à un tel gâchis ! S'ils avaient pensé un seul moment qu'on les accueillerait à coups de pelle dans la gueule, ils se seraient tenus à carreau !

LETIZIA

Et c'est quoi, la vague alors ? C'est toi qui règles des comptes avec toute la planète ?

MATEO

Non. C'est moi et la planète qui réglons nos comptes avec tous les hommes.

(un temps, long)

LETIZIA

Mateo… Dis-moi : si la vague arrivait, est-ce que tu ne voudrais ne garder que moi ?

(un temps)

50

LETIZIA

C'est ça ? J'ai raison ?

MATEO

… Peut-être les animaux aussi.

LETIZIA

Et si moi, je ne veux pas être toute seule avec toi ?
Si j'ai besoin des autres ?

MATEO

Alors ça veut dire que tu ne m'aimes pas autant
que je t'aime.

LETIZIA

Tu te répands, Mateo. On dirait une flaque.

MATEO

Moi, je t'aime Leti, je t'aime tellement ! Je ferais
n'importe quoi pour toi, tu vas voir, je ferai parler
les animaux ! Tu te sentiras moins seule.

LETIZIA

Je croyais qu'on devait respecter l'évolution ?

MATEO

Je m'en fous, on n'y connaît rien, on fait semblant
depuis le début. Et puis toi, tu as le droit à tout ce
que tu veux, même tricher, même changer de jeu.
Tu vois comme je t'aime ? *Je vis, je meurs, je me
brûle et me noie/ j'ai chaud extrême en endurant
froidure/ La vie –*
Ah tiens, regarde : un mouflon.

51

8

Arrive LE MOUFLON SUR DEUX JAMBES.

LETIZIA
Je suis contente de voir que l'évolution s'est bien passée pour vous. Vous marchez remarquablement.

LE MOUFLON SUR DEUX JAMBES
Eh bien, ce n'était pas évident-évident au début.

MATEO
J'imagine.

LE MOUFLON SUR DEUX JAMBES
Je ne crois pas, non.

MATEO
Vous avez raison.
(un temps)
C'était comment ?

LE MOUFLON SUR DEUX JAMBES
Oh eh bien il y a eu une partie vraiment technique, au niveau du grasset, vous voyez, de la rotule. Parce que pour nous, les pattes arrière se pliaient à l'envers. Vous n'aviez jamais remarqué ?

LETIZIA
Ah oui, c'est vrai.

LE MOUFLON SUR DEUX JAMBES

Il a fallu reconfigurer toute l'articulation et ça a été assez long à se mettre en place. C'est délicat, la rotule. Pas moyen de la forcer, c'est de la dentelle. On s'est dressés cent fois, on est tombés cent fois. Un carnage. Du coup, ça a affecté le collectif. Il faut être honnête : pendant un temps, on peut dire qu'on a oublié ce qui faisait notre force. On n'avait plus l'esprit d'équipe. À un moment, on s'est même dit qu'on y arriverait pas, vous voyez. Fin de l'espèce, merci, bonsoir.

MATEO

Vous êtes combien aujourd'hui ? À marcher comme ça ?

LE MOUFLON SUR DEUX JAMBES

Difficile à dire… Vous savez combien d'humains il reste, vous ?
En tout cas, on a retrouvé le mental, on est plutôt contents, ça se plie sur commande et ça tient le poids, finalement. Ça grince un peu avec l'humidité mais on fait aller.
(Il exécute une série de petits mouvements athlétiques.)
Après, on est conscients de nos faiblesses : les membres antérieurs, ça ne devient pas des bras comme ça. Les sabots au bout, on ne peut rien en faire. Faut continuer pourtant, on ne va pas rester le cul posé en attendant que ça change. On donne, on donne tout. On se met minable au besoin. Et même si on voit pas le résultat, ça profitera aux copains, ou aux petits, on a toujours eu cette tradition du groupe, on se pense en tant qu'ensemble, nous, alors c'est vrai

que ça aide. D'ailleurs, ces jours-ci, je me demande si ce n'est pas en train de s'améliorer…

(Il tend ses pattes au bout desquelles les sabots se transforment en effet en deux longs doigts sombres.)

LETIZIA
Ça m'a l'air très bien.

LE MOUFLON SUR DEUX JAMBES
On se débrouille.

MATEO
Et pour la tête ? Parce que j'imaginais que ce serait difficile de la tenir à la verticale…

LE MOUFLON SUR DEUX JAMBES
Le petit truc qui aide, ce sont les cornes, en fait. On ne penserait pas comme ça mais ça donne un sacré équilibre – à gauche, à droite, tac, tac, ça me fait balancier… à condition qu'elles soient symétriques, bien sûr.

MATEO
Bien sûr.

LE MOUFLON SUR DEUX JAMBES
Et vous ?

LETIZIA
Nous ? Rien du tout. Pas d'évolution. Juste les doigts fripés.

(un temps)

LE MOUFLON SUR DEUX JAMBES
Vous êtes tout seuls, ici ? Vous n'avez pas de groupe ? Vous n'avez pas de petits ?

(un temps)

MATEO
Elle n'en veut pas.

LE MOUFLON SUR DEUX JAMBES
Ah.

LETIZIA
Ce n'est pas ce que j'ai dit.

LE MOUFLON SUR DEUX JAMBES
Ils naissent et ils cherchent à se mettre debout. Comme ils cherchent l'air pour respirer. Ils naissent et ils veulent utiliser leurs nouvelles rotules. Je n'aurais jamais cru que je verrais ça. La nouvelle génération. Adaptée au terrain.
Ils sont émouvants.

MATEO
C'est pareil.

LE MOUFLON SUR DEUX JAMBES
Ils sont effrayants, aussi.

MATEO
S'il n'y avait pas eu la vague, elle serait partie depuis longtemps.

LETIZIA
Mateo –

MATEO
Je sais, je sais : on dirait une flaque !

LE MOUFLON SUR DEUX JAMBES
Nous sommes des fossiles vivants à côté d'eux.

LETIZIA
J'ai honte.

MATEO
Évidemment.

(silence)

LE MOUFLON SUR DEUX JAMBES
Nous sommes des fossiles vivants.

Personne ne répond.

9

Les mêmes, sans le mouflon.

LETIZIA
Pourquoi tu as dit ça ?

MATEO
Parce que c'est vrai.

LETIZIA
Et pourquoi c'est toujours toi qui décides de ce qui est vrai ? Et pourquoi est-ce que ce qui est vrai devrait forcément être rendu public ? J'ai eu honte, Mateo, honte.

MATEO
Et moi j'ai mal. Tu veux qu'on fasse un concours ?

LETIZIA
Non.

(un temps)

MATEO
Tu sais la différence entre toi et moi ?

LETIZIA
Je t'écoute.

MATEO

La différence, c'est ce que si tu pouvais choisir, entre tous les hommes de la planète, avec qui rester coincée sur ce rocher, tu choisirais quelqu'un d'autre que moi.

LETIZIA

Entre tous les hommes de la planète ?

MATEO

Oui.

Letizia sourit.

MATEO

Tu vois ? Je ne sais pas à qui tu penses en ce moment mais tu penses à quelqu'un qui n'est pas moi.

LETIZIA

Tu ferais pareil, Mateo. Si on te laissait le choix. Comment tu peux dire que tu ne rêverais pas à… à… je ne sais pas, moi, une actrice américaine, ou une chanteuse, ou même une fille que tu as aperçue à la pizzeria pendant ton service et tu t'es demandé – ok, peut-être rien du tout, peut-être juste deux secondes – mais tu t'es demandé ce que ce serait de vivre avec une fille pareille.

MATEO

Mais je te choisirais toi, Leti. Au bout du compte, je te choisirais toujours.

(un temps)

58

LETIZIA *(très doucement)*

Pourquoi est-ce qu'on est revenus ? On était tellement heureux d'avoir eu la force de partir. Alors
pourquoi on... ? Tu te souviens de ce qui s'est
passé ? De ce qu'on a pensé ?
Ici, moi je deviens claustrophobe. J'ai l'impression de ne pas avoir le choix, de devoir toujours
faire avec ce qui est sous la main, les choses, les
gens...

MATEO

Moi.

LETIZIA

Oui. C'est vrai, pardon. Mais je t'aimais mieux
là-bas.

(un temps)

MATEO

On est revenus parce qu'on était heureux.

LETIZIA

Hmm ?

MATEO

On était heureux et ça nous rendait... un peu méga-
lomanes. On croyait qu'on était des super-héros et
qu'on aurait la force de résister à tout. Même les
enfants, tu te souviens, ça ne te faisait plus peur à
ce moment-là. On parlait d'en avoir : deux, trois,
on n'était pas sûrs, on s'en foutait, on en voulait

c'est tout. Alors on est rentrés. On est rentrés en se disant que ce serait bien pour les futurs enfants hypothétiques parce qu'ici c'est beau, qu'on était euphoriques et qu'on se croyait plus solides que nos parents. On croyait qu'on pourrait prendre la beauté mais pas le reste, tout ce qui vient avec et qu'on avait fui... Le bonheur, c'est un peu comme l'alcool. Ça te donne des délires de puissance et tu arrives à croire que ça vient de toi, que c'est un truc qui est en toi pour de bon. Tu ne comprends pas que c'est momentané, que tu ne pourras jamais rien construire dessus.

LETIZIA

Je suis devenue nerveuse dès qu'on a posé le pied sur l'île. Il n'y a même pas eu de paliers. C'était comme si je tombais d'un coup à l'intérieur de moi.

MATEO

Et moi je ne supportais plus les gens.

LETIZIA

Je croyais que le problème, ce serait de retrouver les choses anciennes et je m'étais préparée à ça sauf que c'était le contraire. Tout avait changé, parfois de manière minuscule. Je reconnaissais les choses mais c'était comme jouer au jeu des sept erreurs. Les rides qui étaient apparues, les maisons qui s'étaient construites... Même la pluie n'était pas pareille, elle m'agaçait. Les rivières non plus n'étaient pas comme avant. Et le vent était furieux.

MATEO

C'est à cause du réchauffement climatique.

LETIZIA

Peut-être que ça va me passer, peut-être que je vais retrouver les sentiments d'avant.

MATEO

Il faudrait que ça arrive vite, Leti.

LETIZIA

On ne peut pas forcer ces choses-là. Moi en tout cas, je ne peux pas.

MATEO

C'est juste que l'eau monte, mon amour. Ça y est… Tu ne vois pas ?

LETIZIA

Non… mais j'entends.

MATEO

Tu l'entends ?

LETIZIA

Oui, ça clapote.

(un temps)

MATEO

Si tu veux partir, c'est maintenant.

61

Elle ne bouge pas.

LETIZIA
Ça y est. Je la vois aussi. Ça monte très très vite.

MATEO
Très.

LETIZIA
Mais en même temps, c'est calme.

MATEO
Elle est sacrément dégueulasse, cette eau.

LETIZIA
C'est bizarre, je n'avais jamais remarqué… Tout ce qui flotte prend aussitôt des allures de déchets.

10

Bribes.

« Le terme de toutes les créatures est arrivé à mes yeux. » / « Des pans de littoral disparaissent. » / « Le sable est une ressource rare. » / « Ce ne sera plus jamais chez moi. » / « Les terres agricoles salinisées par l'eau de mer. » / « les premiers groupes de refugiés climatiques » / « Le sable est le défi du XXIe siècle. » / « un mur liquide » / « une masse boueuse » / « le pays vacille » / « Impropres à la consommation. » / « Ce village construit il y a plus de quatre cents ans n'existe plus. » / « la fuite à pied » / « villes englouties » / « trains engloutis » / « les cataractes du ciel » / « Le béton redevient le sable du fond de l'eau. » / « Le bilan reste très provisoire. » / « Un archipel entier rayé de la carte. » / « Une moitié de la population a littéralement disparu. » / « Au fond de l'océan, la ville est endormie. » / « depuis l'homme jusqu'à la brute, jusqu'au reptile, jusqu'à l'oiseau du ciel » / « C'est une question de chance. » / « de simples remous désormais » / « Depuis sa barque, il découvre un continent de plastique. » / « Mon grand-père avait construit cette maison. » / « Il déclare que le gouvernement doit indemniser les réfugiés, conformément aux accords sur le climat. » / « les bouteilles qui flottent comme des poissons crevés » / « un continent de la taille de l'Afrique, fait de plastique multicolore » / « J'ai cru que j'allais mourir. » / « la mer étale tout autour, là où autrefois cette famille cultivait le blé » / « et des chansons pour les sirènes » / « une nouvelle mappemonde presque entièrement bleue » / « C'est un continent de plastique. » / « Est-ce que le message existe encore si personne n'est là pour l'entendre ? » / « le point minuscule formé par l'embarcation de réfugiés » / « des hymnes d'esclaves aux murènes » / « Il ne reste plus que ce point minuscule. »

11

Le rocher dépassant des eaux.

MATEO
Regarde, tu vois la chaise qui flotte ?

LETIZIA
Laquelle ?

MATEO
Celle où la famille de rats déchiquette un vieil ours en peluche.

LETIZIA
Je ne vois pas de peluche. Où ça ?

MATEO
Juste-là. Il a de la bourre qui sort de son ventre tout rond et de son œil – c'était un petit bouton bleu avant, mais les rats viennent de l'arracher. Tu ne vois toujours pas ?
Ils s'éloignent vite.
Ils sont partis.

LETIZIA
Je ne vois jamais rien d'intéressant. Ça m'énerve.

MATEO
Si tu te postes ici toute la journée, tu finiras bien par voir passer quelque chose.

LETIZIA
Comme ton vieil ours en peluche ?

MATEO
Oui.
Ou un bateau.

LETIZIA
Un bateau ? Un bateau vide ? Tout seul ?

MATEO
Pourquoi pas ? La vague a bien dû emporter des barques amarrées le long des rivières, ou des canots pneumatiques qui s'ennuyaient sur des piscines, ou même un radeau de gamins en roseau…
Et puis il n'est pas obligé d'être vide. Je veux dire…
ça ne serait pas une catastrophe s'il y avait des gens.

LETIZIA *(rit)*
Tu t'ennuies avec moi ?

MATEO
Non, bien sûr que non.

LETIZIA
Si, tu t'ennuies avec moi.

(un temps)

MATEO
Je suis avec toi, proposition une. Je m'ennuie, proposition deux. Mais il n'y a aucun lien.

LETIZIA
Je trouve ça beau que tu l'avoues enfin.

MATEO
Beau ? Tu trouves ça beau ?

LETIZIA
Tu réalises que je suis trop petite pour être un monde à moi toute seule mais tu m'aimes quand même. Tu commences enfin à m'aimer honnête-ment. Alors, oui, pardon, mais je trouve ça beau.

MATEO *(accablé)*
Je n'avais rien prévu de tout ça.

(un temps)

MATEO
Où sont les vaches, Leti ? Tu les as vraiment laissées se noyer.

LETIZIA
Elles doivent être en bas.

MATEO
Je ne les entends pas.
Je n'entends rien.

LETIZIA
C'est vrai : le silence est massif.

(un temps)

MATEO

Je me demande combien de personnes se sont réfugiées en haut du Mont-Blanc.

LETIZIA

Oh ! Qu'est-ce que c'est ça, Mateo ?

MATEO

Une assiette en plastique jaune. Il y en a plein ces temps-ci. Peut-être que la porte d'un magasin englouti vient de céder. Un magasin qui ne vendait que de la dînette. Tu crois que ça existe ?

LETIZIA

C'est joli. Je suis contente de l'avoir vue.

MATEO

Combien de temps ça prendrait de nager six cent kilomètres, d'après toi ?

LETIZIA

Pourquoi ? Qu'est-ce qu'il y a à six cent kilomètres ?

MATEO

Le Mont-Blanc.

LETIZIA

De toute façon, on ne peut pas nager. C'est trop encombré.

MATEO

Je sais. Ça m'intéressait juste.

LETIZIA

Je suppose que ça va se calmer, petit à petit. La surface, je veux dire. Dans quelle direction il est ?

MATEO

Nord, très légèrement ouest.

(Ils cherchent à déterminer où cela se situe, espérant peut-être apercevoir le sommet émergé.)

LETIZIA

Ça doit être très dur pour les gens qui n'avaient pas l'habitude des îles avant.
Nous, on a toujours su ce que ça créait une île, comme sentiment. On ne savait pas qu'on le savait mais on le savait.

(un temps)

Merde, j'ai perdu l'assiette de vue.

FIN

Vous faites *aussi* du théâtre ?

Au départ, ce n'est pas un coup de foudre. C'est plutôt comme un mariage forcé. J'arrive dans un cours de théâtre parce que ma mère a décidé qu'il fallait faire quelque chose contre ma timidité. J'ai douze ou treize ans. Je ne connais rien au théâtre, à part Molière et Anouilh, lus à l'école. Je crois que je suis allée deux fois voir une pièce, je n'en ai pas tiré d'émotions particulières.

Le cours de théâtre se présente comme un médicament imposé alors que je voulais faire du karaté, je suppose que tout convergeait pour que j'arrête rapidement. Vingt ans après, pourtant, je fais encore du théâtre. Entre-temps, je suis devenue romancière et cette activité-là écrase un peu l'autre. On me demande : « Vous faites *aussi* du théâtre ? » Je n'en fais pas aussi. J'en fais d'abord. Ça peut n'avoir l'air que d'un avantage chronologique aléatoire mais à mes yeux c'est important. Je n'ai jamais arrêté le théâtre alors que j'ai arrêté le roman plusieurs années, non seulement d'en écrire mais aussi d'en lire. Entre mes dix-huit et mes vingt-et-un ans, je ne lis que des pièces et des ouvrages de philosophie. Entre mes dix-huit et mes vingt-et-un ans, les grands auteurs s'appellent Martin Crimp, Heiner Müller, Lars Norén, Elfriede Jelinek ou Sarah Kane. On ne les voit jamais dans les journaux, c'est comme s'ils appartenaient à un monde parallèle – dont je fais aussi partie, par conséquent. Il faudra un long voyage et la volonté d'emporter des gros livres pour que je me remette à la lecture (puis à l'écriture) de romans. S'il existait des pièces de cinq cents pages, ce ne serait peut-être pas arrivé et c'est un peu étrange de penser ça, aujourd'hui.

Pourtant, les premières années, dans ce cours du mercredi où j'ai atterri, il n'y a pas d'évidence. J'aime et je déteste le théâtre. Je n'arrive pas à me l'expliquer. J'aime les répétitions, je déteste les représentations. Quand je suis sur scène, un nerf dans ma paupière gauche et dans ma lèvre supérieure se mettent à tressauter et je ne peux penser qu'à ça. Le texte et les gestes sont dévidés de manière mécanique, réduits à presque rien par la peur de mon visage qui tremble. À la fin du lycée, je comprends que je n'aime pas jouer, je n'aime pas être actrice. Que reste-t-il alors ? Presque tout mais il faudra longtemps pour le découvrir. On n'aborde trop souvent le théâtre que par le biais du jeu. À Paris, pendant mes études (de théâtre évidemment), j'ai été stagiaire, assistante et même – brièvement – stagiaire d'un assistant dont il n'était pas certain qu'il assistait qui que ce soit, son titre paraissait surtout indiquer qu'il n'était pas stagiaire. J'ai regardé mon nom apparaître peu à peu sur les programmes des spectacles auxquels j'avais contribué. Et puis j'ai commencé à écrire et à mettre en scène.

Pourquoi le théâtre ? Pour écrire des textes troués. Apprendre à laisser la place, à ne pas vouloir être le démiurge total d'un monde, apprendre que les mots deviennent redondants quand naissent les images, apprendre à fermer sa bouche, à ravaler ses métaphores lorsqu'elles viennent en ribambelles. L'apprendre encore aujourd'hui parce que, quand même, elle est super belle cette métaphore, je ne vais pas la – si, si. Apprendre à expliquer, parfois, parce qu'à force de laisser des trous, on crée des mystères sans le vouloir ou parce que les trous peuvent tout être mais qu'à un moment, il faut bien choisir. Le souvenir de Bertrand Chauvet, mon professeur de théâtre en prépa, revient toujours alors. Nous travaillions sur *Dissident il va sans dire*, de Michel Vinaver, et à propos d'une des répliques du texte, il avait déclaré : « "Avec protection latérale en bas de caisse", ça veut dire "je t'aime" ». Je crois que c'est une des choses qui m'enchante le plus, le sens que crée l'acteur ou l'actrice sans que j'aie besoin de l'expliquer par une narration qui viendrait éclairer le dialogue. Plus j'y pense et plus je me dis que je fais du théâtre pour cette raison-là, pour cet instant-là, parce que « avec protection latérale en bas de caisse » peut vouloir dire « je t'aime ».

Pourquoi le théâtre ? Pour s'entendre par la voix d'un autre, par le corps d'un autre et au départ, pour moi, c'est toujours comme un choc électrique ou le bruit de la craie sur le tableau noir. Non, attends, ce n'est pas ça. Parfois c'est mieux, parfois c'est pénible. Mais ce n'est jamais *ça*, jamais ce que j'ai cru que ça rendrait au moment de l'écriture. Même quand j'imagine des acteurs précis s'emparant des répliques et que je les façonne pour eux, je me trompe, ça ne donne pas ça, ensuite, sur le plateau. Il faut renoncer à les guider à l'oreille vers une musique intérieure qui ne résonne que dans le kiosque de mon crâne. Ce n'est pas ça, tant pis, tant mieux. Et comment guider ? Il y a des acteurs et actrices qui sont comme les machines à la fête foraine : il suffit de leur glisser une pièce, une toute petite pièce, et alors toutes les lumières s'allument et la musique commence. Ils lancent des propositions de tous côtés. Il y en a d'autres qui ont besoin de s'asseoir, sur un pan du décor, et de parler longtemps de ce qui se joue, là, et là, et au final aussi, dans la globalité, c'est quoi le message, on raconte quoi. Il y a des acteurs et actrices qui prennent le texte comme un mur d'escalade et qui cherchent le meilleur chemin pour atteindre la virgule, le point, le silence d'après : ils voient l'écriture et s'y fraient un chemin. Il y en a d'autres qui oublient la grammaire et la ponctuation dès qu'ils ont appris la réplique parce qu'ils la transforment en chair, en affects, en couleurs. Il faut inventer, chaque fois, de nouvelles manières de travailler ensemble. Très rapidement, le texte est à tous. Le théâtre me permet d'écrire des palimpsestes, de recouvrir la première version de ce qui naît au plateau, et même lorsque le texte est publié, il peut à chaque représentation être modifié. Parfois, je rêve que le roman me donne la même liberté et qu'il me soit possible de surgir derrière chaque lecteur, chaque lectrice pour lui dire : *En fait, saute le paragraphe suivant, finalement ça ne marche pas, j'ai cru que, c'est une erreur, ne nous entêtons pas, d'accord ?*

Ce n'est pas ça, je disais, en parlant des premiers temps des répétitions. Mais la phrase s'applique aussi aux soirs de spectacle. Ce n'est jamais ce que j'ai prévu. C'est toujours plus fragile et c'est toujours plus fort. Tout ce qui peut se passer sur une scène, je le liste, assise les dents serrées au fond de la salle, quand mes textes sont joués. Tout ce qui peut rater, tomber, se décaler. Tout ce qui peut jaillir, atteindre, se suspendre. Parfois rien, c'est sûr. Parfois, c'est plat. Mais les choses sont *possibles*, les pires comme les meilleures et peut-être que les pires sont les meilleures. C'est le texte de Genet sur le funambule, « les spectateurs t'acclament car ton adresse vient de préserver d'une mort impudique un très précieux danseur ». On applaudit ceux qui ont réussi l'exploit de ne pas mourir, même si on l'oublie, même si on en arrive à croire, à force de fréquentation des salles où les spectateurs, chaque année, vieillissent, blanchissent, qu'on applaudit un nom sur une affiche ou une interprétation extraordinaire, *vraiment bouleversante, c'est une grande dame, c'est un monstre sacré*. Il demeure quand même, derrière chaque spectacle, un funambule qui peut se rompre le cou. D'ailleurs, si on raconte encore et encore que Molière est mort sur scène alors que ce n'est pas vrai (il est mort chez lui, rue de Richelieu), c'est peut-être pour faire cet aveu-là : la possibilité de la mort est ce qui rend excitant le spectacle vivant. Le cinéma ne peut pas faire grand-chose contre ça – lui qui peut tellement dans les autres domaines. Il rajoute des violons et des ralentis, il s'échine, il fait peine à voir et pourtant, parfois, les gens sortent en disant : *Qu'est-ce qu'elle meurt mal, Marion Cotillard*. Au théâtre, je trouve toujours émouvant de voir un acteur se relever pour aller saluer, couvert de faux sang, les cheveux en bataille, son corps debout qui clame qu'il est vivant, que ce n'était qu'un jeu.

Une digression, pour finir. Il y a quelques mois, j'ai envoyé depuis ma rame de métro bloquée dans un tunnel un message pour indiquer à la personne que je devais retrouver que j'arriverais une demi-heure en retard. Et au moment où je lançais cette information de l'index, j'ai commencé à penser à mon adolescence sans téléphone portable, toutes ces années où il fallait fixer précisément l'horaire et le lieu d'un rendez-vous pour ne pas risquer de se rater, où chaque retard ouvrait une liste infinie de raisons à l'absence de l'autre et où il fallait décider, à chaque minute qui passait, si l'on restait attendre ou si on quittait les lieux. Ça me paraissait fou, quinze ans après et pleinement habituée à pouvoir toujours prévenir, d'avoir réussi si souvent à retrouver des amis, des amoureux ou mes parents, d'avoir levé les yeux depuis le banc du parc ou la table de café pour les voir arriver. Ils auraient pu se perdre, j'aurais pu attendre au mauvais endroit, nous nous serions croisés sans nous voir, mais non, soudain en face de moi, le corps de l'autre, son visage et sa voix. C'est cet effet-là que me procure un spectacle de théâtre. Je suis là, dit-il, et toi aussi tu es là. Alors quelque chose peut se passer maintenant.

TABLE DES MATIÈRES

BIBLIOGRAPHIE COMPLÈTE

Romans

DEUX MOINS UN ÉGAL ZÉRO
Éditions du Petit Véhicule, 2003

JUSQUE DANS NOS BRAS
Albin Michel, 2010

SOMBRE DIMANCHE
Albin Michel, 2013

DE QUI AURAIS-JE CRAINTE ?
Éditions Le Bec en l'air, 2015

JUSTE AVANT L'OUBLI
Flammarion, 2015

L'ART DE PERDRE
Flammarion, 2017

Jeunesse

HOME SWEET HOME
Avec Antoine Philias
L'École des Loisirs, 2019

UN OURS, OF COURSE !
Actes Sud Junior, 2015

HANSEL ET GRETEL
Heyoka Jeunesse, 2018